ڕۆژێک لە ڕۆژان بێ بارانی و ووشکی یەکی زۆر ناوچەیەیەکی داگرت بوو کە"ئەهلەت"ی پێ دەگوترا ، مێش و مەگەز بە سەر خەڵکی و مەڕو ماڵاتدا ووروژابوون ، گەرما بە تەواوی خەڵکی بێزار کردبوو .
دزەکە کراسێکی درێژی لەبەر کرد و کڵاوێکی لەسەر نا ، پاش پیلان دانان چووە ناو بازاڕەکەوەو بە دەنگێکی بەرز بە خەڵکی گووت :-
ئەگەر ئێوە کووپەڵەیەک زێڕم بدەنێ ئەوەندەی سەرم گەورە بێت ، من لەگەڵ خواکاندا دەدوێم و داوای بارانیان لێ دەکەم .

**One day there was a terrible drought at a place called Ahlat.**

**Flies swarmed around the people and the cattle. The heat almost drove them mad.**

**The thief put on a long robe and a big turban.**

**He strode into the market place and declared in a loud voice,"If you give me a heap of gold as big as my head, I will speak to the gods and ask them for rain."**

# THE RAINSTONE

بەردی باران

**Retold in English
by Edward Korel**

**Illustrated
by Kagan Guner**

**Edited by
Roger Hancock**

سالآنێکی زور لەمەوبەر پاش تۆفان،نوح ئەو خاکەی کەئێستا
هی کوردە بە جافێتی کوڕە گەورەی بەخشی ، وە لەبەرئەوەی
کە ئەو خاکە ووشکترین ناوچەی سەر زەوی بوو ، بەردێکیشی
داپێی کە جادووی باران بارینی لەسەر نووسرابوو •
ئەم بەردە لە نەوەیەکەوە بۆ نەوەیەکی تر دەگوێزرایەوە ،کەچی
ڕۆژێک دزێک بەردەکەی دزی •
دزەکە بەخەڵکی دەگووت کە جادووکەرەو و دەتوانی قسە لەگەڵ
خواکاندا بکات •

Many many years ago after the flood, Noah gave Japhet, his eldest son, the land that is now the land of the Kurds.

And because it was one of the driest places on earth, he gave him a stone on which was written a spell to bring rain.

This stone was passed down from generation to generation, but one day a thief stole it.

He claimed to be a Shaman or magician and said that he could speak to the gods.

هەروەک پێشینان دەڵێن :
" هەرچەندە زمان ئێسکی نی یە بەڵام ئێسک دەشکێنێ " هەروەها خەڵکیش لەبەر ئەوەی هیچ چارەسەری تریان نەبوو ناچار ڕازی بوون .

جادووکەرەکە لە ناوەڕاستی بازارەکەدا وەستا ، دەستی بەرەو ئاسمان بەرز کردەوە و نووسراوی سەر بەردەکەی خوێندەوە .

لەو ئێوارە زووەدا پاش چەند ساتێک دنیا تاریک داهات و چەند دڵۆپە بارانێک بارین ، ئینجا بەدوایدا بارانێکی بەخوڕ دایکرد .

As the saying goes, "Although the tongue has no bones, it breaks many bones." And the people had no choice other than to agree.

The Shaman stood in the middle of the market place, spread out his arms, and called out the spell.

After a few seconds, although it was still the middle of the afternoon, it grew dark. At first there were a few raindrops, then the rain came down like a waterfall from the sky.

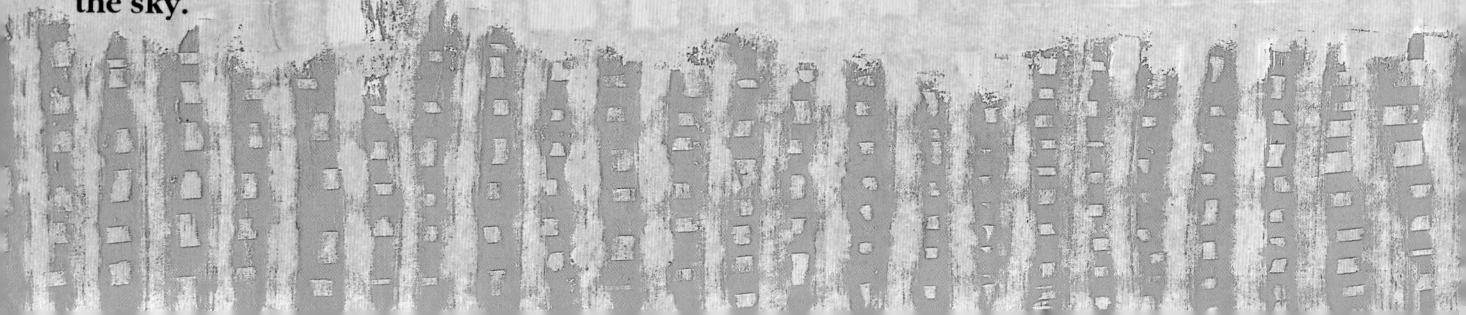

خەڵکی لەخۆشیدا هاواریان لێ هەستا ، کوپەڵە زێڕێکیان به
جادووکەرەکە بەخشی که له سەری گەورەتر بوو .

ڕۆژی دوایی باران خۆشی نەکرد ، ڕۆژی دواتر و دواتریش هەر
بەردەوام بوو .
وای لێ هات لەوەدەچوو که بارانەکه هەرگیز خۆش نەکات .

Everybody cheered and cheered, and they gave the
Shaman a bag of gold even bigger than his head.

The next day however, it was still raining, and it rained the
following day and the one after that.

It began to look as if the rain was never going to stop.

بارانەکە خەڵکەکەی تەواو سەغڵەت وماندوو کردبوو کێڵگەکانیان
یەک پارچە بووبوو بەقوڕ ، ماڵەکانیشیان وا تەڕ بووبوو کە
نەیاندەتوانی لەناویدا بژین . چوونەوە بۆ لای جادووکەرەکە تا
داوای لیٚ بکەن بارانەکە بوەستیٚنیٚ .
بەڵام ئەو تەنها جادووی باران بارینی دەزانی ، بەردەکە جادووی
باران وەستانی لەسەر نەنوسرابوو .
جادووکەرەکە بەهەموو شیٚوەیەک نوسراوی سەر بەردەکەی خوێندەوە
، لە خوارەوە بۆ سەرەوە ، لە چەپەوە بۆ ڕاست و تەنانەت لەسەر
سەری وەستاو خوێندیەوە .

The people grew sick and tired of the rain.

Their fields were turned to mud and their houses were so wet that they could not live in them any longer.

They went back to the Shaman and asked him to make it stop raining.

But he only knew how to *make* it rain.

Nothing on the stone told him how to stop it.

He tried saying the magic words backwards, then sideways; he even tried saying them standing on his head.

بەڵام دیار بوو بێ سوود بوو بارانەکە خۆشی نەدەکرد
لە کۆتاییدا خەڵکەکە ئەوەندە تووڕە بووبوون جادووکەرەکەیان
هەڵگرت و بردیان فڕێیان دایە ناو ڕوبارەکەوە .
هەر کە جادووکەرەکە کەوتە ناو ڕوبارەکەوە ، یەکسەر بارانەکە
وەستا .
جادووکەرەکە لافاو بردی و جارێکی تر کەس چاوی بەچارەی
نەکەوتەوە .

Nothing made the rain stop.

At last, the people were so angry that they seized hold of the Shaman, carried him to the river and threw him in.

No sooner had he struck the water than the rain stopped.

The Shaman, however, was carried away by the flood, and he was never seen again.